우주와 미지가 쿠키를 먹고,
주스를 마셔요.

마루도 쿠키를 맛있게 먹어요.

책 발자국 Level 3

투수와 타자

글 김미혜 그림 차선희

교육공동체벗

선생님과 학부모님께

이 그림책은 초기 문해력 교육을 위한 수준 평정 그림책입니다.
아이의 읽기 행동을 관찰하고 기록한 결과를 바탕으로 아이의 눈높이에 맞는
책을 골라 주세요. 아이 스스로 책을 선택할 수 있게 해 주시면 더 좋아요.
그리고 가정과 학교에서 아이와 함께 안내된 읽기를 해 주세요.
이 책에는 한글의 열두 번째 자음 'ㅌ'이 들어간 '투수', '타자', '배트', '같이' 등의
낱말이 나옵니다. 'ㅌ'의 소리를 잘 듣고 'ㅌ'이 들어 있는 낱말을 더 찾아보세요.
야구 경기를 보거나 직접 야구를 해 본 적이 있는지 이야기를 나눠 볼 수 있어요.
축구와 야구 외에 아이가 좋아하는 다양한 스포츠 종목에 대해 더 알아보고,
새로 알게 된 내용을 간단한 문장으로 써 봐도 좋습니다.

"우주야, 우리 야구 할래?"

미지는 투수예요.
공을 힘껏 던져요.

우주는 타자예요. 배트를 잡고, 공을 치려고 해요.

우주가 공을 못 쳤어요.
공이 계속 날아가요.

마루가 공을 잡았어요.

마루도 같이 야구를 해요.

이 책은 _____의 것입니다.

투수와 타자

ⓒ 김미혜, 차선희, 2025

2025년 11월 3일 처음 펴냄

글쓴이 김미혜 | **그린이** 차선희 | **편집** 이진주 | **디자인** 더디앤씨 | **인쇄** 보명C&I | **제작** 세종PNP
펴낸이 김기언 | **펴낸곳** 교육공동체 벗 | **이사장** 오정오 | **사무국** 최승훈, 설원민, 공헌
출판등록 제2011-000022호(2011년 1월 14일) | **주소** (03998) 서울시 마포구 월드컵북로7길 76-12 102호
전화 02-332-0712 | **전송** 0505-115-0712 | **홈페이지** communebut.com

ISBN 978-89-217-167700
ISBN 978-89-195-2(세트)

투수와 타자	BFL	3
	어절 수	40

값 2,300원

사용 연령
6세 이상

ISBN 978-89-6880-217-1
ISBN 978-89-6880-195-2 (세트)